W9-CXU-142

Juliette
fait
des courses

Texte et illustrations de
Doris Lauer

-Dépêche-toi, Juliette, on va faire les courses dans le grand supermarché, dit maman.
-Ah oui, celui qui a des minicaddies pour les enfants ! se réjouit Juliette.

Dans son petit caddie, Juliette jette des gâteaux-animaux et des gâteaux-bateaux.

-Maman, je peux prendre ces corn flakes au chocolat ? À la télé, ils ont dit qu'il y a un beau cadeau dans la boîte !

CHOC
Céréales
500g

Patatras! Le joli verre de moutarde
que Juliette a voulu attraper est tombé!
- Oh là là, c'est pas vraiment une
bonne idée, ces chariots pour les petits!
Bon, Juliette, tu-ne-touches-plus-à-rien!
- Mais maman, j'ai pas fait exprès!

Une vendeuse en tablier rose vient ramasser les débris avec seau, balai et serpillière. Maman prend Juliette dans ses bras et l'installe dans le grand caddie.

À la poissonnerie, Juliette dit prudemmment bonjour aux crabes.
Elle a un peu peur des grosses pinces.
- Coucou, Juliette !
- Salut Arthur, tu fais aussi des courses ?

Le caddie est presque plein.
Maman choisit maintenant des fruits et des légumes et elle les pose sur la balance.
– C'est moi qui appuie ! s'écrie Juliette.

-Et les glaces, maman?
-Oui, oui, tu sais bien que je passe toujours aux surgelés en dernier!
À la caisse, Juliette s'inquiète:
-T'auras assez de sous pour tout payer?

Sur le parking, Juliette aide maman
à ranger les courses dans la voiture
et, la bouche toute pleine, dit :
- La profaine fois, on prendra aufi
du focolat blanc, hein maman !

Lito
41, rue de Verdun 94500 Champigny-sur-Marne
Imprimé en CEE
Loi n° 49-956 du 16 juillet 1949 sur les publications destinées à la jeunesse
Dépôt légal : mars 1999